WEEKEND HOMES
WOCHENENDHÄUSER
MAISONS DE VACANCES
WEEKEND HUIZEN

Edited by Macarena San Martín

Art director:
Mireia Casanovas Soley

Editorial coordination:
Catherine Collin

Project coordination:
Macarena San Martín

Texts:
Macarena San Martín

Layout:
Nil Solà

Translations:
Britta Schlagheck (German), Lydia de Jorge (English), David Lenoir (French), Els Thant (Dutch)

Editorial project:
2007 © LOFT Publications | Via Laietana, 32, 4.°, Of. 92 | 08003 Barcelona, Spain
Tel.: +34 932 688 088 Fax: +34 932 687 073 | loft@loftpublications.com | www.loftpublications.com

ISBN 978-84-96936-09-6   Printed in China

WEEKEND HOMES
WOCHENENDHÄUSER
MAISONS DE VACANCES
WEEKEND HUIZEN

Edited by Macarena San Martín

„Besitz ist nichts, wenn er sich nicht mit dem Vergnügen verbindet."

Äsop, griechischer Fabeldichter

"Possessions are worthless unless they provide enjoyment."

Aesop, Greek fabulist

« La possession n'est rien si la jouissance ne s'y joint. »

Esope, fabuliste grec

"Bezit stelt niets voor als het niet vergezeld wordt van genot."

Aesopus, Griekse fabeldichter

Bei diesem Haus wurden traditionelle Bauelemente, Techniken und Materialien aus der Region mit einem gänzlich modernen Stil kombiniert. Extern verfügt es nur über eine Wasserversorgung, weshalb die Stromversorgung des Komplexes über das Photovoltaiksystem geliefert wird. Die Eingliederung in die Landschaft wird durch die hellgelben Töne der Fassade akzentuiert.

This house incorporates elements of construction, techniques and traditional materials of the region that translates into total contemporary. It only disposes of water service but a system of photovoltaic solar panels provides electricity. The integration with the landscape is accentuated by the light yellow of the outside walls.

CARMEN HOUSE

Architects: **Leddy Maytum Stacy Architects**

Rancho Nuevo, Baja California South, Mexico
Surface area: **400 m²**

Cette résidence incorpore des éléments de construction, des techniques et des matériaux traditionnels de la région à un langage totalement contemporain. Elle dispose seulement du branchement d'eau, et c'est un système de panneaux solaires photovoltaïques qui fournit l'électricité à l'ensemble. L'intégration dans le paysage est favorisée par le ton jaune clair des façades.

Deze woning combineert traditionele materialen, bouwelementen en -technieken uit de streek met een hedendaagse taal. Er is alleen watervoorziening; een systeem van fotovoltaïsche zonnepanelen zorgt voor de elektriciteit. Dankzij de lichtgele kleur van de voorgevel past het huis nog beter in het landschap.

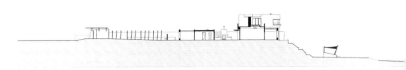

Longitudinal section

Floor plan

1. Beach access
2. Terrace
3. Living space
4. Second floor
5. Patio
6. Street access

0 2 4

Da das Grundstück in einer Höhe von 8 Metern über dem Strand liegt, hat man von den verschiedenen Räumen aus in Richtung Westen eine großartige Aussicht auf das Meer und in Richtung Osten auf die Berge.

The lot sits on an elevated area, located on a clearing that is eight meters above sea level. Th⸱ allows incredibly magnificent panoramic views the ocean on the west, and majestic mountains on the east.

L'élévation du terrain, à 8 mètres au-dessus de la plage, permet que des différents espaces, on profite de magnifiques vues sur la mer vers le couchant et sur les montagnes vers l'est.

De ophoging van het stuk grond tot 8 meter boven het strandniveau zorgt voor een prachti⸱ zicht op de zee in het westen en de bergen in het oosten.

Das Haus umfasst drei Bereiche: einen für die Eltern, einen weiteren für die Kinder und einen als familiärer Treffpunkt. Auch wenn alle Räume ihren eigenen Charakter haben, werden sie durch die sanften Farben vereint, die ein ruhiges, kühles Ambiente schaffen. Der Außenbereich besteht aus festeren Materialien, um das Haus vor der Abnutzung durch Wind, Salz und Sand zu schützen.

This home consists of three units: one for the parents, one for the children and one for family gatherings. Although each unit has a unique character, the soft colors unite them and create a fresh and relaxing environment. The exterior is made of solid materials to protect it from the harsh effects of wind, salt and sand.

BERK RAUCH RESIDENCE

Architects: **Stelle Architects**

Sea View, Fire Island, USA
Surface area: **372 m²**

La résidence compte trois volumes : un
pour les parents, un autre pour les enfants
et un autre consacré à la vie familiale.
Bien que chaque espace ait son caractère
propre, les couleurs douces unissent et
créent des espaces tranquilles et frais.
L'extérieur, de son côté, est fait de
matériaux plus solides pour protéger
la maison des effets abrasifs du vent,
du sel et du sable.

De woning is opgebouwd uit drie volumes:
een ruimte voor de ouders, een voor de
kinderen en een andere voor het samenzijn
in familie. Ook al heeft elke ruimte een
eigen karakter, ze baden allemaal in zachte
kleuren, die een rustige en verfrissende
sfeer scheppen. De buitenboel bestaat
uit steviger materialen, om het huis tegen
slijtage door wind, zout en zand te
beschermen.

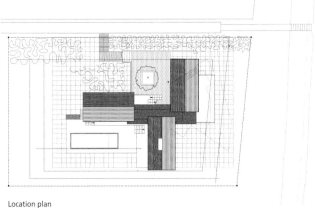

Location plan

Wegen seiner modularen Struktur ist die unmittelbare Verbindung zur Umgebung umso attraktiver, da verschiedene Perspektiven entstehen, die auf interessante Weise mit der rustikalen, natürlichen Landschaft interagieren.

Due to its modular design, the relationship with the immediate surroundings becomes more attractive, creating different perspectives that interact in an interesting way with the greenery of the landscape.

En raison de la configuration modulaire, le rapport avec l'environnement immédiat est plus séduisant, créant plusieurs perspectives qui interagissent de façon intéressante avec le paysage sauvage et naturel.

Dankzij de modulaire inrichting is de relatie met de onmiddellijke omgeving aantrekkelijker en ontstaan verschillende perspectieven, die op een boeiende wijze in dialoog gaan met het woeste, natuurlijke landschap.

Ground floor

0 1 2

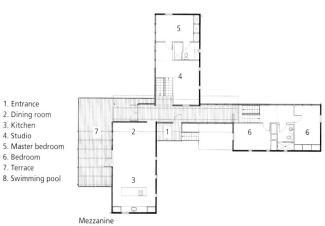

1. Entrance
2. Dining room
3. Kitchen
4. Studio
5. Master bedroom
6. Bedroom
7. Terrace
8. Swimming pool

Mezzanine

Beim Design des Hauses waren das tropische Klima der Region und der verfügbare Platz bestimmend. So wurde ein funktionales Gebäude mit simplen Formen konstruiert, dessen Struktur von einer großen Abdeckung, die vor Sonne und Regen schützt, überdacht wird. Die Verbindungsgänge wurden entfernt und als einziger Nexus zwischen den Zimmern eine großräumige Terrasse angelegt.

Determining factors in the design of this home were the tropical climate and the available space. A functional building of simple forms was thus erected. Its structure has an overhang to protect it from sun and rain. Passage areas were eliminated leaving the exterior terrace as the only connection between the rooms.

3ARRA DO SAHY

Architects: **Nitsche Arquitetos Associados**

ão Sebastião, Brazil
urface area: **126 m²**

our la conception de cette résidence,
e climat tropical de la région et l'espace
isponible ont été déterminants. A ainsi
té construit un bâtiment fonctionnel
ux formes simples dont la structure
st couverte d'un large toit qui la protège
u soleil et de la pluie. Les espaces de
irculation ont été éliminés. Le seul lien
ntre les pièces est une large terrasse
xtérieure.

Het design van deze woning werd bepaald
door het tropische klimaat in het gebied
en de beschikbare ruimte. Het gebouw is
functioneel, de vorm ervan eenvoudig en
het heeft een groot dak om tegen de zon
en de regen te beschermen. Er zijn geen
doorgangszones, de enige verbinding
tussen de vertrekken is een ruim
buitenterras.

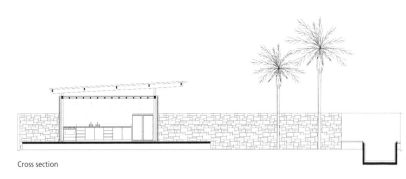

Cross section

Der Innenraum besteht aus sechs geradlinigen Modulen: drei für Schlaf- und Badezimmer und drei für Wohnzimmer, Servicebereich und Küche. Sie sind unabhängig, lassen sich aber mittels Schiebepaneelen zur Terrasse hin öffnen.

The interior space has been divided into six modules: Three are bedrooms and bathrooms, and three for living room, service area, and kitchen. Each one is independent but open to the terrace via sliding panels.

L'intérieur est divisé en six modules : trois pour les chambres et les salles de bain, trois pour le salon, zone de service et cuisine. Ils sont indépendants mais s'ouvrent sur la terrasse grâce à des panneaux coulissants.

Het interieur bestaat uit 6 elementen op een rij: drie slaapkamers met badkamer en drie zones voor de zitkamer en keuken met dienstvertrek. Alle ruimtes zijn onafhankelijk en geven via verplaatsbare panelen op het terras uit.

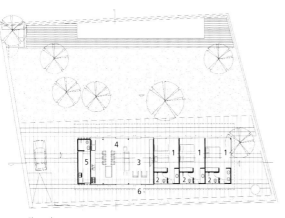

1. Bedroom
2. Bathroom
3. Living room
4. Dining room
5. Kitchen
6. Communicating terrace

Floor plan

0 2 4

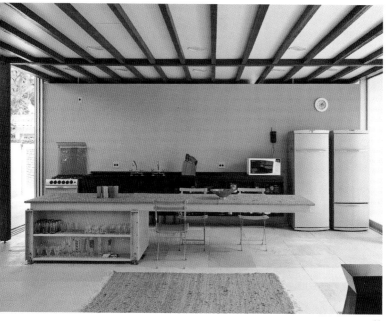

Dieses interessante Haus ist ein Parallelepipedon aus Stahl, das von auffälligem gelbem PVC überzogen ist. Auch wenn es als Anbau eines Wohnhauses konzipiert wurde, behält das Gebäude seine vollständige Unabhängigkeit in Service und Komfort bei. Wegen seiner transparenten Fenster ist das Haus tagsüber kaum sichtbar, während es nachts wie eine überdimensionale Laterne leuchtet.

This interesting house is a steel parallelogram covered by an eye appealing yellow PVC. Though conceived as an addition to another home, the structure maintains its independence of services and amenities. Thanks to the transparency of its window the house is camouflaged by day while at night it glows like a giant lantern.

LINA HOUSE

Architects: **Caramel Architekten**

Linz, Austria
Surface area: **69 m²**

Cette intéressante maison est un parallélépipède en acier recouvert d'un PVC jaune très voyant. Bien que conçu comme l'agrandissement d'un autre logement, le bâtiment est totalement autonome quant aux services et aux commodités. Grâce à la transparence de ses baies vitrées, la maison se camoufle le jour alors que de nuit, elle brille comme une grande lanterne.

Dit interessante huis is een stalen parallellepipedum gecoat met opvallende gele pvc. Ook al werd dit gebouw oorspronkelijk opgevat als uitbreiding van een andere woning, de voorzieningen zijn volledig onafhankelijk. Dankzij de grote, doorschijnende ramen is het huis overdag gecamoufleerd en schittert het 's nachts als een grote lantaarn.

1. Entrance
2. Living room
3. Dining room
4. Kitchen
5. Bathroom
6. Bedroom

Floor plan

0 1 2

Ein Grundstück mit starker Neigung gab den Impuls für ein einzigartiges Projekt: ein in drei Etagen gegliedertes Haus, bei dem die Eltern die obere und die Kinder die untere Etage belegen und durch eine Gemeinschaftsetage, Treffpunkt der zwei Generationen, getrennt werden. Diese abstrakte Architektur wurde vom vorkolumbischen und spanisch-kolonialen Stil der Gegend inspiriert.

A strongly inclined terrain gives way to a unique project: a house composed of three vertical levels, with the parents on the top level and the children on the lower one, separated by a social level where both generations meet. The pre-Columbian era and Spanish colonial present in the region inspired the abstract architecture.

B HOUSE

Architects: **Barclay & Crousse Architecture**

The Escondida Beach, Cañete, Peru
Surface area: **280 m²**

Un terrain avec une forte pente donne lieu à un projet singulier : une maison articulée en trois étages verticaux ; les parents occupent l'étage supérieur et les enfants l'étage inférieur, séparés par l'étage social, lieu de rencontre des deux générations. L'architecture est une abstraction inspirée des périodes précolombienne et coloniale espagnole, présentes dans la région.

Op dit sterk hellende stuk grond bevindt zich een bijzonder project: een huis met drie verticale verdiepingen, waar de ouders bovenaan en de kinderen onderaan wonen, met tussenin de gemeenschappelijke ruimte, een ontmoetingsplaats voor twee generaties. De architectuur vindt inspiratie in de precolumbiaanse en Spaanse koloniale periodes uit de streek.

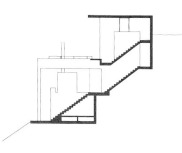

Longitudinal section

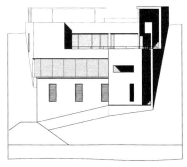

Elevation

Ground floor | Children's level

First floor | Social level

Jede Ebene dient einer spezifischen Tätigkeit, die sie auf unterschiedliche Weise mit der Landschaft verbindet. Die Gemeinschaftsbereich verfügt über eine große Terrasse, die wie ein Sommersalon konzipiert ist.

Each one of the levels is designated to specific activities and relates to the surrounding views in a different manner. The level designated for social activities has a great terrace and is considered a summer room.

Chaque niveau dispose d'une activité spécifique qui se traduit par une manière particulière de communiquer avec le paysage. L'étage social dispose d'une grande terrasse, pensée comme un salon d'été.

Elk niveau is bestemd voor een specifieke activiteit, die zich uit in een verschillende relatie met het landschap. Het gemeenschappelijke gedeelte heeft een groot terras, dat als zomerzitkamer is opgevat.

1. Bedroom
2. Bathroom
3. Living room
4. Terrace

Second floor | Parent's level

0 1 2

Der Zielgedanke dieses einzigartigen Baus ist es, eine eigene Identität zu schaffen, bei der jede Verbindung zur Umgebung abgebrochen wird. Das Haus hat die Form eines schmalen Parallelepipedons aus Beton und befindet sich inmitten eines weitläufigen Hofes mit Wiesen. Es ist von imposanten, drei Meter hohen Mauern, die die Sicht auf das Haus perfekt verdecken, umgeben.

The goal of this singular building is to attain an identity that will reject all ties to the surroundings. The concrete home is shaped like a narrow parallelogram and it is located on an ample square covered with grass. It is surrounded by imposing three-meter concrete walls that make the house almost invisible.

MARSHALL HOUSE

Architect: **Denton Corker Marshall**

Philip Island, Australia
Surface area: **300 m²**

L'objectif de ce bâtiment singulier est de gagner sa propre identité, en refusant tout lien avec son environnement. La maison a la forme d'un parallélépipède étroit en béton et se situe dans une grande cour carrée couverte de pelouse. Elle est entourée d'imposants murs en béton de trois mètres de haut, qui procurent une invisibilité parfaite à la maison.

Dit bijzondere gebouw wil een eigen identiteit scheppen, volledig los van de omgeving. De woning heeft de vorm van een betonnen, nauw parallellepipedum en ligt in een ruime, vierkanten en met gazon bedekte patio. De indrukwekkende, drie meter hoge betonnen muren rond het huis maken het volledig onzichtbaar.

Die schlichte Fassade des Hauses passt zur Nacktheit seiner Wände und zu seinem sterilen Innendesign. Der Boden wurde mit grauen Fliesen ausgelegt, deren chromatische Monotonie von einigen Möbeln gebrochen wird.

L'aspect extérieur sobre de la maison va de pair avec la nudité de ses murs et son intérieur aseptisé. Les surfaces ont été couvertes de carrelage gris, dont la monotonie chromatique est brisée par quelques éléments du mobilier.

The somber exterior aspect of the home matches the bareness of the walls as well as the aseptic interior. The surfaces have all been covered in grey tiles, whose monotony is broken by some furniture pieces.

De sobere buitenaanblik van het huis gaat hand in hand met de naakte muren en het steriele interieur. De vloer is bedekt met grijze tegels, waarvan de monotone kleur door een aantal meubels wordt doorbroken.

Beim Bau hat man sich der Erfahrung
der Vergangenheit bedient, um zeitlose
Formen zu kreieren. In den Innenräumen
werden verschiedene Stile, Materialien und
Texturen kombiniert, wobei ein neutrales
Weiß und Ockertöne dominieren. Diese
Farben wurden auch für die Außenfassade
verwendet. Sie intensivieren das mediterrane
Licht, das jeden Winkel des Bauwerks
ausleuchtet.

This construction uses the experience
of the past to create forms capable of
overcoming the passage of time. Different
styles, materials and textures of neutral
shades of white and ochre peacefully
coexist in its interior. These same colors
dress the exterior and pull in the
Mediterranean light that bathes
every corner of the structure.

SEDUCED BY THE PAST

Architect: **Colombe Stevens**

orsica, France

ette construction utilise l'expérience
u passé pour créer des formes capables
'oublier le passage du temps. A l'intérieur,
ohabitent pacifiquement des styles,
matériaux et textures différents, le tout
ominé par la neutralité du blanc et
es tons ocres. Les mêmes couleurs
vêtent l'extérieur et intensifient
lumière méditerranéenne baignant
aque recoin du bâtiment.

Dit gebouw put uit het verleden om
tijdloze vormen te scheppen. Het interieur
is een harmonie van verschillende stijlen,
materialen en texturen, met overheersend
neutraal wit en okertinten. Deze kleuren
sieren ook de buitenboel en versterken het
mediterrane licht waarin elke hoek van
het gebouw baadt.

Die Räume wurden mit natürlichen Materialien wie Stein und Marmor ausgestattet und mit Möbeln in betont kolonialem Stil, rustikalen Komplementen und moderneren Accessoires, die ein zeitloses Ambiente erzeugen, dekoriert.

Natural materials such as stone and marble have been used in the rooms. The decorations show marked colonial air with rustic complements and some modern accessories. This combination creates a sensation of interpolarity.

Dans les pièces, on a utilisé des matériaux naturels comme la pierre et le marbre et on les a décorées d'éléments de style colonial, accessoires rustiques et d'autres plus modernes, offrant ainsi une sensation d'intemporalité.

In de vertrekken werden natuurlijke materialen als steen en marmer gebruikt. Ze zijn versierd met duidelijk koloniaal ogende voorwerpen, rustieke en modernere accessoires, die een tijdloos gevoel scheppen.

69

Das Haus, das direkt am Meer von Uruguay liegt, dominiert die gesamte Bucht. Der gewaltige architektonische Block verliert durch verschiedene Veranden und Fenster in den Außenbereichen an Schwere, während sich in den Innenbereichen diese Masse verliert und sich weitläufige Räume eröffnen, die auf natürliche Weise ausgeleuchtet werden und das Flair eines städtischen Lofts haben.

Situated by the white sands of Uruguay's oceanfront, this house dominates the whole bay. The grand arquitectual block of its exterior is softened by several porches and windows while all this volume disappears in its interior, giving room to ample spaces perfectly illuminated in a natural way with an urban loft look.

THE BEAUTY OF THE IMAGINATION

Architect: **Martín Gómez**

unta del Este, Uruguay

tuée face à la mer d'Uruguay et de ses ables blancs, cette maison domine toute la aie. Le grand bloc architectural est adouci l'extérieur par plusieurs porches et des nêtres alors qu'à l'intérieur, ce volume sparaît, laissant la place à des espaces uverts baignés par la lumière naturelle traités dans l'esprit du loft urbain.

Dit huis ligt aan de zee en blanke stranden van Uruguay en biedt uitzicht over de hele baai. Deze architectonische gigant wordt vanbuiten verzacht door verschillende arcades en ramen, in tegenstelling tot het interieur, waar grote ruimtes op natuurlijke wijze perfect verlicht zijn en de sfeer van een loft in de stad oproepen.

den Räumen überwiegt das Material Holz im
ustikalen Stil in seiner natürlichen Farbe und in
er das Ambiente dominierenden Farbe Weiß.
Man verwendete nur wenige Möbel, die
ngleiche Stile vornehm vereinen.

ans les pièces, le matériau principal est le bois
u fini rustique, utilisé aussi bien dans sa couleur
aturelle qu'en blanc, couleur qui domine les
spaces. On utilise quelques meubles qui
ombinent délicatement plusieurs styles.

The predominant material in the rooms is wood
with rustic finishes. It is used in its natural state
as well as in white, which is the color that rules
all the areas of the home. Furniture is few and
diverse.

Rustiek afgewerkt hout is het meest gebruikte
materiaal, zowel natuurlijk als wit, de overheersende
kleur in de vertrekken. Er worden weinig meubels
gebruikt, die op een verfijnde manier verschillende
stijlen vervoegen.

Ohne den Charme des ursprünglichen
Bauwerks zu verlieren, wurde durch
die Restaurierung und Vergrößerung
des Hauses ein Heim geschaffen, das das
antike Ambiente aufrecht erhält und sich
an die modernen Bedürfnisse anpasst.
Bei betont rustikalem Charakter wird die
schlichte und zurückhaltende Gestaltung
sowohl durch die Linen als auch durch
die Farben und Materialen untermalt.

Without losing the charm of the original
construction, the restoration and
expansion of this home has allowed
a creation that maintains the spirit of
everlasting and adapts to the needs
of today. With evident rural character,
it shows simplicity and discretion in its
lines as well as in its colors and materials.

THE FEEL OF YESTERYEAR

rquitect: **Unknown**

le de Ré, France
rface area: **38 m²**

ns perdre le charme de la construction
iale, la restauration et l'agrandissement
cette résidence ont permis de créer
foyer qui conserve l'esprit de toujours
s'adaptant aux besoins d'aujourd'hui.
style rural marqué favorise la simplicité
la discrétion aussi bien des lignes que
s couleurs et des matériaux.

Zonder haar oorspronkelijke charme
te verliezen, is deze woning dankzij
restauratie en uitbreiding een thuis
geworden met een sfeer van vroeger,
maar aangepast aan de moderne noden.
Het uitgesproken landelijke karakter
benadrukt de eenvoud en discretie van
zowel de lijnen als kleuren en materialen.

den Wänden und der Dekoration der Räume
schied man sich für eine Kombination aus
ß mit zarten Pastelltönen. Man verwendete
zmöbel, natürliche Texturen, Blumenmotive
Designs mit schlichten, klassischen Formen.

pièces associent le blanc aux couleurs
tel pour les murs et les éléments décoratifs.
utilise des meubles en bois, des textures
urelles, des motifs floraux et des styles aux
mes simples et classiques.

The rooms present a combination of white with
soft pastel colors on the walls as well as on
decorative elements. Wood furniture, natural
textures, floral motifs, and classic, simple forms
are utilized.

In de vertrekken wordt wit gecombineerd
met zachte pastelkleuren op de muren
en in de decoratieve elementen. Er worden
houten meubels gebruikt, natuurlijke texturen,
bloemmotieven en eenvoudig, klassiek design.

Dieses enorme Holzhaus hat weitläufige Räume mit heller und einfacher Dekoration. Die Ziegel der Wände wurden offen gelegt und vollständig weiß gestrichen, um so das weitläufige und helle Ambiente zu unterstützen. So entsteht eine attraktive Mischung voll warmer Strenge, in der Harmonie und Ruhe vorherrschen.

This enormous wood home shows ample spaces decorated neatly and simply. The brick walls have been restored and painted white to create the illusion of lig and space. The final result is an attractive mix of austere warmth governed by peac and harmony.

BATHED IN LIGHT

esigner: **Laura Orcoyen**

ellington, New Zealand

tte énorme résidence en bois accueille
larges espaces à la décoration nette et
mple. On a retrouvé la brique de tous les
urs et on l'a complètement peinte de
anc afin d'accentuer la sensation de
andeur et de luminosité. Cet ensemble
ussi est un séduisant mélange d'austérité
aleureuse dans lequel règnent
armonie et la tranquillité.

Dit enorme houten huis herbergt grote
ruimtes met eenvoudige en zuivere
decoratie. De baksteen van alle muren
werd bewaard en volledig wit geschilderd
om het gevoel van ruimte en licht
te versterken. Het resultaat is een
aantrekkelijke mengeling van warme
soberheid, die harmonie en rust uitademt.

Um bei den Innen- und Außenbereichen ein Gefühl von Kontinuität zu erzeugen, wurden die Sonnenblenden und Auflagen der Terrassen aus dem gleichen blau-weiß gestreiften Stoff wie die Sofabezüge des Wohnbereichs hergestellt.

In order to create continuity between the interi and the exterior, the parasols throughout the terraces have been covered in the same blue and white stripes fabric as that of the sofas in the living room.

Pour obtenir une sensation de continuité entre l'intérieur et l'extérieur, les parasols disposés sur les terrasses ont été tapissés avec le tissu employé pour recouvrir les sofas du salon, à rayures bleues et blanches.

In functie van de continuïteit tussen het interieu en de buitenboel zijn de parasols op de terrasse met dezelfde stof bekleed als de sofa's in de zitkamer: wit met blauwe strepen.

Das minimalistische Prinzip dominiert die Innenbereiche dieses Hauses. Dies erklärt, warum die verschiedenen Ambiente einzig mit den notwendigsten Möbeln ausgestattet sind und überflüssige Verzierungen vermieden wurden.

Le principe minimaliste domine les intérieurs de cette résidence secondaire, ce qui explique que les ambiances découlent uniquement des meubles indispensables et qu'il n'y ait pas de place pour les décorations superflues.

There is no room for superfluous decorations in this vacation home where the minimalist principle rules the interior. This would explain why only the necessary and essential furnishing are in place.

Het interieur van deze woning is minimalistisch: de vertrekken hebben genoeg aan het essentiël meubilair en er is geen plaats voor overbodige versiering.

Bei dieser Residenz, die sich zwischen einem
Wald und einem Weingut einfügt, werden
die Eleganz der klassischen Proportionen
und die Festigkeit der traditionellen
Baumethoden mit einem modernen
Design, das sich an die klimatischen und
landschaftlichen Verhältnisse der Region
anpasst, kombiniert. Die Vielfalt an
Materialien wird durch schlichte Formen
und Details ausgeglichen.

This residence, located between a forest
and a wine orchard, has a mix of classic
elegance and solid traditional constructiv
methods, with a modern design that ada
to the climatic conditions and the views
of the zone. The rich array of materials
is balanced by the simplicity of forms
and details.

RESIDENCE IN SONOMA

rchitects: **Aidlin Darling Design**

onoma, California, USA
urface area: **297 m²**

ns cette résidence, enclavée entre une
rêt et un vignoble, se mêlent l'élégance
s proportions classiques, la solidité des
éthodes de construction traditionnelles
un style moderne qui s'adapte aux
nditions climatiques et au paysage de
région. La large gamme de matériaux
équilibre par la simplicité des formes
des détails.

Dit huis ligt tussen een bos en een
wijngaard en vervoegt de sierlijkheid van
klassieke verhoudingen en betrouwbaarheid
van traditionele bouwmethodes met een
modern design, dat zich aan het klimaat
en landschap van de streek aanpast.
Het rijke gamma aan materialen wordt
in evenwicht gehouden door eenvoudige
vormen en details.

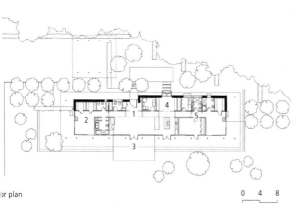

1. Entrance
2. Bedroom area
3. Terrace
4. Kitchen
5. Common areas

or plan

0 4 8

Die gläsernen Schiebe- und Balkontüren verbinden die Innenbereiche mit den Terrassen, die den Bau umgeben, und auf denen unter freiem Himmel durch das angenehme Klima der Gegend höchste Lebensqualität geboten wird.

The sliding glass doors and those of the balconies, open the interior to the terraces that surround the structure, inviting an outside-livin life-style that goes perfect with the climate of the area.

Les portes coulissantes en verre et celles des balcons ouvrent l'intérieur sur les terrasses qui entourent le bâtiment, favorisant le style de vie à l'air libre que permet le climat agréable de la région.

De glazen schuifdeuren en balkondeuren geve uit op de omliggende terrassen en nodigen ui tot het openluchtleven dat mogelijk is door he aangename lokale klimaat.

Bei dieser restaurierten antiken Hütte, die von einer typisch mediterranen Landschaft umgeben ist, wurde das Flair vergangener Zeiten in Formen und Grundsätzen beibehalten und dabei immer besonderer Wert aufs Detail gelegt. In den Innenbereichen gibt es keine Trennwände zwischen den Zimmern, so dass das Mobiliar seiner Funktion entsprechend die einzelnen Räume definiert.

Surrounded by a typical Mediterranean landscape, this rehabilitated cabin maintains the flavor of past times in its form and also in its backdrop, always focusing on the details. There are no physical divisions between the rooms. It's the furniture that defines the space and its function.

MEDITERRANEAN REFUGE

ıbèron, France
ırface area: **38 m²**

ıtourée par un paysage typiquement
éditerranéen, cette ancienne cabane
staurée conserve son parfum d'antan
ıns ses formes, mais aussi dans son fond,
soigne le moindre détail. A l'intérieur, il
y a aucune division physique entre les
fférents espaces et c'est le mobilier qui se
ıarge de définir chaque lieu selon sa
nction.

Deze gerenoveerde cottage ligt midden in
een typisch zuiders landschap en ademt
zowel qua vorm als inhoud een sfeer van
weleer uit, steeds met oog voor detail.
De vertrekken in het interieur zijn niet
fysiek van elkaar gescheiden, het meubilair
bepaalt de functie van elke ruimte.

Die Möbel sind rustikal und zweckdienlich. Alte, restaurierte Stücke, die ein natürliches, bäuerliches Flair schaffen, dekorieren die Räume. Die Wände wurden weiß gestrichen, um die kleinen Räume größer wirken zu lassen.

The furniture is rustic and essential. The decorati pieces are antique and recycled and provide an a of nature and country. Due to the reduced spac most of the walls have been painted in white fc visual enlargement.

Les meubles sont rustiques et élémentaires et les pièces décoratives anciennes et recyclées, donnent un air naturel et champêtre. En raison de l'espace réduit, la plupart des murs ont été peints en blanc afin de l'agrandir visuellement.

De meubels zijn rustiek en essentieel. Enkele oude en gerecycleerde voorwerpen roepen een natuurlijke en landelijke sfeer op. Door de beperkte ruimte zijn de meeste muren wit geschilderd, om alles visueel te vergroten.

Dieses Holzhaus, das von beinahe unberührter Natur umgeben ist, wurde unter der Prämisse gebaut, das ganze Jahr über bewohnbar zu sein. Das Basisprinzip des Innendesigns des Hauses sind Simplizität und Zweckmäßigkeit. Hierzu wurde schlichtes und essentielles Mobiliar ausgewählt. Das Ergebnis ist eine attraktive Mischung aus ländlicher Tradition und Moderne.

Surrounded by nature bordering on the wil this wood home was constructed with the notion of round-year living. Simplicity and functionality are the basis of this home's interior, so light and essential furnishings were opted for. As a result, it is possible to savor an attractive mix of rural and modern tradition.

THE PERFECT HIDEAWAY

Architect: **Martín Gómez**

Avignon, France

Surface area: **68 m²**

Entourée d'une nature presque sauvage, cette maison en bois a été construite pour être habitée à toute l'année. Le principe de base de son intérieur, est la simplicité et l'utilité. C'est un mobilier léger et essentiel qui a été choisi. Résultat : on y savoure un séduisant mélange de tradition rurale et de modernité.

Deze houten woning ligt midden in de bijna wilde natuur en werd gebouwd voor om het even welk seizoen. Het interieur van de woning stoelt op de principes van eenvoud en nuttigheid, met lichte en essentiële meubels. Het resultaat is een aantrekkelijke mengeling van landelijke traditie en moderniteit.

Dieses Haus wurde im Hinblick darauf, dass in Irland die Sonne sehr spärlich ist, umgebaut. So wurde ein neues Gebäude für den Gemeinschaftsbereich angefügt, bei dem auch die feinsten Sonnenstrahlen eingefangen werden. Dieser neue Bau liegt nahe am Meer und weit vom Schatten der nahegelegenen Hügel entfernt und bietet Platz für spatiöse, helle Räume.

This house was renovated keeping in m that the sun is very valuable in Ireland. The addition made to the common area allows the sun in until it sets. This new addition goes deep into the sea and aw from the shadows of the nearby hills capturing ample and illuminated spaces

HOUSE IN CLONAKILTY

rchitects: **Niall McLaughlin Architects**

onakilty, Cork, Ireland

rface area: **275 m²**

restauration de cette maison s'est faite considérant que le soleil est très précieux Irlande. C'est pourquoi un nouveau iment a été ajouté – destiné aux parties nmunes – capable de capter jusqu'aux niers rayons du soleil couchant. Ce uveau volume pénètre dans la mer et oigne de l'ombre des collines proches, rant des espaces ouverts et lumineux.

Bij de restauratie van dit huis werd rekening gehouden met het belang van de zon in Ierland. Daarom werd voor de gemeenschappelijke ruimtes een nieuw bouwsel toegevoegd, dat zelfs de laatste stralen van de ondergaande zon binnenlaat. Dit nieuwe volume sluit aan op de zee, ligt ver van de schaduw van de dichtstbijzijnde heuvels, en herbergt omvangrijke en goed verlichte ruimtes.

1. Original house
2. New addition
3. Garage

Site plan

0 4 8

Aufteilung des neuen Baus wurde als Reise
n Horizont konzipiert: von der Straße aus,
 der man das Haus betritt, wo man das Meer
:h nicht sieht, bis hin zum Salon mit Blick aufs
er und imposanter Sicht nach Süden.

The distribution of the new home feels like a trip
into the horizon. The ocean is hidden from the
road, but once inside the house, it comes into
full view, along with an incredible panoramic
southern view.

distribution du nouveau volume répond à un
'age vers l'horizon, de la route par laquelle on
:cède, où la mer reste cachée, jusqu'à la salle,
'c vues sur la mer, et l'imposant panorama
s le sud.

De indeling van de nieuwe ruimte is als een reis
naar de horizon: van op de weg waarlang we
binnenkomen, waar de zee nog niet te zien is,
tot aan de zitkamer, met zicht op zee, en het
indrukwekkende uitzicht op het zuiden.

Das Haus liegt inmitten eines Eichenwaldes und ganz in der Nähe des Strandes. So wurde der Bau wie eine Mauer, die diese beiden Landschaften gleichzeitig trennt und verbindet, konzipiert. Der formale Stil und die verwendeten Materialien – Eichenholz und Zinkplatten – akzentuieren den grazilen Charakter des Projekts und binden es in seine Umgebung ein.

The house is located in an oak forest and very close to the beach making the structure the division between these two landscapes and at the same time uniting them. The formal atmosphere and the use of oak wood and zinc sheets accentuate the light character of the project and integrate it to its surroundings.

UMMER CABIN

rchitects: **Jarmund/Vigsnæs AS Arkitekter MNAL**

estfold, Norway

urface area: **120 m²**

maison se trouve dans une forêt de
ênes, très proche de la plage. C'est
urquoi la construction est vue comme
mur séparant ces deux paysages,
i à la fois les unit. Le langage formel et
matériaux utilisés – bois de chêne
plaques de zinc – accentuent le
ractère léger du projet et l'intègrent
on environnement.

Het huis is gelegen in een eikenbos en
dichtbij het strand, waardoor het als een
scheidings- maar ook verbindingsmuur
tussen twee landschappen naar voren
komt. De vorm en het gebruikte materiaal
– eikenhout en zinkplaten – benadrukken
het lichte karakter van het project en doen
het versmelten met de omgeving.

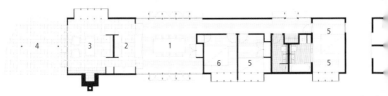

Floor plan

1. Entrance / dining room
2. Kitchen
3. Living room
4. Terrace
5. Bedroom
6. Master bedroom

0   1

Innenbereich wurde Holz in helleren Tönen
wendet, um so ein ruhiges, helles Ambiente
schaffen. Beim Boden wählte man Keramik,
ch in hellen Tönen, um leicht zu reinigende
d beständige Oberflächen zu schaffen.

In the interior, wood has been treated in
lighter shades, creating a well-lit and tranquil
atmosphere. Ceramic was chosen for the floors,
also in lighter shades, providing durable, easy
maintenance surfaces.

l'intérieur, le bois a été choisi dans des tons
us clairs, créant ainsi un espace tranquille et
mineux. Pour les sols, on a choisi la céramique,
ns des tons clairs également, afin d'obtenir
s surfaces faciles à entretenir et durables.

Het hout in het interieur vertoont lichtere
schakeringen, wat een rustige en heldere sfeer
schept. Voor de vloer werden lichtgekleurde
tegels gekozen, om eenvoudig te onderhouden
en duurzame oppervlakken te bekomen.

Der Architekt passte dieses Haus perfekt an die Bodenform des Geländes an. Auf der Südseite öffnet sich das Haus stufenförmig in Richtung Meer, und im Norden hat man einen weiten Blick über den Ozean. Im Vordergrund sieht man einige kleine Felseninseln. Das Element Wasser bildet selbst einen Teil der Architektur. Die Bewohner können sich am Anblick und am Klang dieses Elementes erfreuen.

The architect managed to adapt this hou perfectly to the lay of the land. To the sout the house opens up on to the sea in a seri of steps, while to the north it enjoys an uninterrupted view of the sea, complete with small islets in the foreground. Water is present in the very architecture of the building, setting up a delightful interplay of visual and acoustic effects.

PORTAS NOVAS HOUSE

Architect: **Victor Cañas**

Guanacaste, Costa Rica

...Architecte a réussi une intégration parfaite ...a topographie du terrain. Du coté sud, ...maison s'ouvre en s'échelonnant vers ...mer qui, au nord, s'offre à l'infini, avec ...s petits îlots au premier plan. L'eau est ...ésente au coeur même de l'architecture ...l'édifice, créant un charmant jeu de ...sations visuelles et auditives.

Bij dit project is de architect erin geslaagd de woning perfect te laten aansluiten bij de terreingesteldheid. Aan de zuidzijde loopt het huis trapsgewijs af in de richting van de zee, en aan de noordkant geniet men van een oneindig uitzicht over zee, met op de voorgrond enkele eilandjes. Ook in de constructie van de woning is water geïntegreerd, waar het de bewoners visueel en auditief genoegen schenkt.

131

Im Laufe der Zeit ist diese Villa zu dem auffälligsten und prunkvollsten Gebäude auf der Insel geworden. Die Holzbalken und großen, gebrochen weißen Steinblöcke sind die Strukturmaterialien des Hauses. Im Inneren wurden offene Höfe, große Fenster und gemütliche Winkel angelegt, so dass man einen wundervollen Blick auf die schöne, mediterrane Landschaft genießen kann.

With the passing of time, this has become the most spectacular villa on the island. Wooden beams and impressive white-washed blocks of stone support the whole structure. Open indoor patios with large bay windows and numerable nooks and crannies are perfect for admiring the surrounding landscape.

HOUSE ON TINOS ISLAND

rchitect: **Unknown**

nos, **Greece**

 fil du temps, cette villa est devenue la us spectaculaire de l'île. Les poutres de is et les grands blocs de pierre blanchis à chaux, matériaux de soutènement de la aison, permettent de créer des patios érieurs ouverts, de grandes baies vitrées des petits recoins privilégiés pour vourer les vues inégalables sur le ysage méditerranéen.

Uiteindelijk werd de villa grondig opgeknapt en tot blikvanger van Tinos gemaakt. Houten balken en grote witte steenblokken bepalen de structuur van het huis, dat gekenmerkt wordt door ommuurde patio's, grote vensters en intieme hoekjes van waaruit genoten kan worden van het fantastische mediterrane landschap.

Dieses Haus im minimalistischen Stil befindet sich inmitten des brasilianischen Urwalds. Seine Innenräume sind weitläufig und mit großen Fenstern ausgestattet, die das Haus in seine Umgebung integrieren. Die obere Etage erhebt sich über große Säulen. Die untere Etage und die Terrassen sind von einer üppigen Vegetation umgeben.

This minimalist-style house is situated ri[g] in the middle of the Brazilian jungle. The interior spaces are very ample and its ma[in] windows help integrate it with the landscape. The top floor stands on large pillars, and the ground floor as well as t[he] terraces are surrounded by abundant vegetation.

R HOUSE

chitects: **Marcio Kogan, Bruno Gomes**

aras, Rio de Janeiro, Brazil

te maison au style minimaliste se trouve
pleine forêt brésilienne. Ses espaces
rieurs sont très grands et disposent de
es baies vitrées, qui aident à intégrer
maison à l'environnement. L'étage
érieur se dresse de grands piliers ;
z-de-chaussée et les terrasses sont
ourées d'une abondante végétation.

Dit modernistische huis bevindt zich
midden in de Braziliaanse jungle. Binnenin
is het heel ruim en grote ramen verbinden
het interieur met de omgeving. De
bovenverdieping steunt op grote pilaren;
de benedenverdieping en terrassen zijn
omringd met een overvloedige vegetatie.

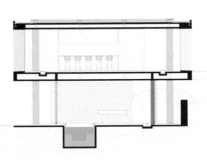

Cross section

0   1

Um eine Verbindung zwischen dem Pool im Innenbereich und der üppigen Landschaft der Außenbereiche herzustellen, wurde mit Hilfe von Steinmauern und einem großen Fenster ein möglichst natürliches Ambiente geschaffen.

In order to integrate the area of the interior po[ol] with that of the exuberant view, great window[s] have been incorporated, along with stones on the walls. The atmosphere has been kept as natural as possible.

Pour intégrer la zone de la piscine intérieure au paysage extérieur exubérant, on a créé l'ambiance la plus naturelle possible, grâce à l'utilisation de la pierre pour les murs et on a posé une grande baie vitrée.

Om het binnenzwembad op het weelderige landschap te laten aansluiten werd een zo natuurlijk mogelijke sfeer geschapen door stee[n] in de muren te gebruiken en een groot raam te installeren.

Bei diesem Umbau wurde bewiesen, dass man ein traditionelles, ibizenkisch gestaltetes Haus harmonisch auf moderne Weise gestalten kann, ohne dabei die althergebrachte Komposition zu zerstören. Dazu wurden die offenen Räume mit zeitgemäßen Möbeln ausgestattet, die jedoch gleichzeitig mit traditionellen Materialien und Farben kombiniert sind.

This project shows that a traditional Ibiza style house can be updated harmoniously with a contemporary design without compromising the traditional composition of its design. To achieve this, the rooms, with an open layout, were filled with modern furniture, combined with traditional materials and colors.

IVISSA HOUSE

rchitects: **Martínez Lapeña-Torres Arquitectos**

iza, Spain

projet montre qu'une maison
ditionnelle du style d'Ibiza est
mpatible avec un design contemporain
1s pour autant compromettre la
mposition de la conception
ditionnelle. Pour y parvenir, les pièces
espace ouvert, disposent d'un mobilier
oderne associé à des matériaux et
Jleurs traditionnels.

Dit project laat zien hoe de traditionele
bouwstijl van Ibiza op harmonieuze wijze
met eigentijds design gecombineerd kan
worden, zonder dat die traditie geweld
wordt aangedaan. Om dit te bereiken
werden de open en ruime vertrekken
voorzien van modern meubilair dat een
mooi geheel vormt met traditionele
kleuren en materialen.

Dieses Haus, das ursprünglich recht klein war, wurde vergrößert, um an die Bedürfnisse kinderreicher Familien angepasst zu werden. Hierzu wurden die Aufenthalts- und Schlafräume vergrößert und in den einzelnen Bereichen mehr Intimität geschaffen. Das gemütliche Ambiente eines kleines Hauses wurde im neuen Bau insbesondere auf Grund seiner Transparenz beibehalten.

Originally of reduced dimensions, this house was extended to meet the needs of a large family creating more living and sleeping areas, each with more privacy. The small-house feeling is maintained thanks to the use of transparencies in the addition.

WINER RESIDENCE

rchitects: **Stelle Architects**

idgehampton, New York, USA
rface area: **112 m²**

tte maison, à l'origine aux dimensions
juites, a été agrandie afin de s'adapter
x besoins d'une famille nombreuse,
proposant plus d'espaces de vie et
chambres, et une plus grande intimité
ns les différents espaces. L'ambiance
cueillante d'une petite maison
conservée essentiellement grâce
*utilisation des transparences dans
nouveau volume.

Dit oorspronkelijk kleine huis werd
uitgebreid om onderdak te bieden aan
een groot gezin, met als resultaat meer
slaap- en woonruimte en meer privacy
in de verschillende ruimtes. De gezellige
sfeer van een klein huis wordt bewaard
door de doorzichtigheid van de nieuwe
ruimte.

Ben Fenster in der Fassade des neuen
zeugen ein Gefühl von Raum und Weite
binden die Innen- mit den Außenbereichen.
rwendete vor allem Materialien wie
holz, Stahl und Mahagoni.

ndes fenêtres des façades du nouveau
ht donnent une sensation d'espace et
ur, et relient l'intérieur à l'extérieur. Les
ux essentiellement utilisés sont le cèdre
acier inoxydable et l'acajou coloré.

The glass on all sides of this new construction
creates a feeling of space and openness and
unifies the interior and the exterior. The main
materials used are painted cedar, stainless steel,
and colored mahogany.

De grote ramen in de voorgevel van het nieuwe
gebouw geven een gevoel van ruimte en
verbinden het interieur met de buitenboel. De
belangrijkste materialen zijn geverfde ceder,
roestvrij staal en gekleurd mahoniehout.

163

Das Haus ist perfekt in die Natur, von der es umgeben wird, integriert. Die großen Räume verbinden sich mit gewaltigen Fenstern, die von jedem Winkel des Hauses aus für spektakuläre Aussichten sorgen. Für Teile der Konstruktion wurde Holz verwendet. Die Mauern wurden in Ockertönen, die an den Sand des Strandes erinnern, gestrichen.

This home is perfectly integrated with the nature that surrounds it. Its great volume dissipates with enormous picture window that offer spectacular views from any corner of the house. Wood has been use in some parts and the walls are painted a shade of ocher very similar to the color of the sand on the beach.

FACING THE OCEAN

rchitect: **Pachi Firpo**

nta del Este, Uruguay

ette résidence est parfaitement intégrée
a nature qui l'entoure. Les grands
lumes sont allégés par les immenses
ies vitrées offrant des vues spectaculaires
puis le moindre recoin de la maison.
e partie du bâtiment utilise du bois et
murs ont été peints dans un ton ocre
es semblable à celui du sable de la plage.

Deze woning is één met de natuur
rondom. De grote volumes worden
verzacht door enorme ramen met
een spectaculair zicht vanuit elke hoek
van het huis. In sommige delen van het
huis werd hout gebruikt en de muren
zijn geverfd in een okertint die doet
denken aan de kleur van het zand op
het nabije strand.

Den Innenbereich gestaltete man wie ein urbanes Loft, bei dem man die Simplizität und die Helle, die die Außenbereiche dominieren, beibehielt. Die erzielte Eleganz bildet einen Kontrast zur kargen Natur, die das Haus umgibt.

The interior has the look of an urban loft in which the lighting and simplicity of the outsi brought inside. The look achieved provides th home with an elegance that contrasts with it arid surroundings.

L'intérieur a été traité comme un loft urbain, dans lequel on conserve les critères de simplicité et de luminosité dominant l'extérieur. L'élégance obtenue contraste souvent avec le milieu naturel aride qui entoure la résidence.

Het interieur is als stadsloft opgevat, waarin eenvoud en helderheid van de buitenboel worden verder gezet. Het stijlvolle effect hier contrasteert met de dorre natuurlijke omgevi van de woning.

Das Haus befindet sich im Einklang mit der reichen Flora der Wüste, wobei man stets darauf bedacht ist, das natürliche Gleichgewicht dieser fragilen Landschaft nicht zu stören. So erhebt es sich über dem dürren Wüstenboden auf festen Mauern mit einer V-förmigen Abdeckung aus oxidiertem Stahl, die durch ihre Form verschiedene Ambiente innerhalb des Hauses schafft.

The home coexists respectfully with the rich desert flora maintaining the natural balance of the fragile surroundings. It is erected from the arid desert soil over solid walls reinforced by stainless steel covering in a V shape, which creates different environments within the home.

TUCSON HOUSE

rchitects: **Rick Joy Architects**

cson, Arizona, USA

rface area: **241 m²**

résidence cohabite respectueusement
ec la riche flore du désert, et elle essaie
ne pas briser l'équilibre naturel de ce
gile environnement. Ainsi, se dressent
l'aridité du sol désertique, de solides
rs terminés par une toiture en acier
ydé en forme de V, qui, grâce à cette
me, crée plusieurs espaces à l'intérieur
la maison.

De woning leeft vreedzaam samen met
de rijke woestijnflora en probeert het
natuurlijke evenwicht van de kwetsbare
omgeving te bewaren. Het huis is gebouwd
op droge woestijngrond en heeft stevige
muren en een V-vormig dak uit geroest
staal, een vorm die binnenin verschillende
ruimtes schept.

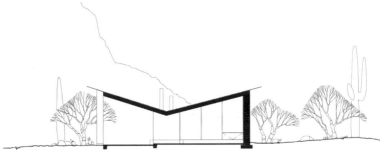

Section | Shows the inclination of the roof

1. Entrance
2. Open kitchen
3. Living room / dining room
4. Bedroom
5. Bathroom
6. Terrace
7. Master bedroom

Floor plan

0 2 4

Innenbereich dieses Hauses wird der Kontrast ischen dem Weiß und der dunklen Farbe des zes und den Wänden aus verdichteter Erde, en Textur durch horizontale Riefen in der schalung definiert wird, untermalt.

In the interior of the home, there is obvious contrast between white and the toasted color of the wood. The walls are made of compacted dirt and its rich texture is accentuated by the horizontal grooves of their shape.

intérieur de la maison, on accentue le traste entre le blanc et la couleur foncée du s et des murs en terre compactée, dont la ture riche est marquée par les stries rizontales du coffrage.

Binnenin de woning wordt het contrast tussen het wit en de geelbruine kleur van hout en aarden muren benadrukt, waarvan de rijke textuur van de horizontale groeven in de bekisting opvalt.

Diese Gebäudegruppe, mit Blick auf das Mittelmeer, setzt sich aus zwei Häusern zusammen. Eines dient als Wohnsitz der Eigentümer, das andere ist den Besuchern zugedacht. Die beiden Häuser sind durch einen Bereich verbunden, in dem sich der Swimmingpool und eine große Terrasse mit wundervollem Blick auf das Meer befinden.

With views over the Mediterranean, this residence is made up of two houses: the main house and the guesthouse. The po area connects the two houses and inclu a spacious terrace with spectacular view over the sea. The whole house has a contemporary air, even though its lines a the materials used represent the traditio architecture of the island.

HOUSE IN IBIZA

Architect: **Juan de los Ríos**

Ibiza, Spain

ce à la Méditerranée, cette résidence est
mposée de deux maisons : l'habitation
incipale et celle des invités. La zone qui
cueille la piscine relie les deux maisons
intègre une large terrasse dotée de vues
ectaculaires sur la mer. Toute la maison
gage une allure très contemporaine,
ême si ses lignes et les matériaux utilisés
nt tirés de l'architecture traditionnelle
l'île.

Deze woning, vanwaar men een fantastisch
uitzicht over de zee heeft, bestaat uit een
hoofdgebouw en een gastenverblijf. Tussen
beide huizen ligt als verbindende factor het
zwembad met een aantal terrassen die een
ongelooflijk mooi uitzicht op zee bieden.
Het hele huis ademt een moderne
atmosfeer, ook al zijn het lijnenspel en de
toegepaste materialen ontleend aan de
traditionele, lokale architectuur.

Die Besonderheit dieses Hauses mit
fröhlichem, elegantem Charakter ist
zweifelsfrei seine wohnliche Veranda, die
so entworfen wurde, dass der Aufenthalt
in den Außenbereichen auch während der
heißesten Monate möglich ist. In den
Innenbereichen wird das Licht durch
exotische Store gedämpft, um so ein
gemütliches Ambiente sowie einen Schutz
vor der Hitze zu erzielen.

Undoubtedly the most distinctive element
of this serene and inviting house is its
placid porch created to simplify exterior
living during the hottest seasons. In the
interior, light filters through exotic window
shades, creating a tranquil environment
and protection from the intense heat.

MARITIME EXOTICISM

rchitect: **Mario Connío**

unta del Este, Uruguay

lément le plus caractéristique de la
aison, à la personnalité tranquille et
quette, est sans doute le paisible porche,
nçu pour faciliter la vie extérieure lors
s saisons les plus chaudes de l'année.
'intérieur, la lumière est filtrée par
s stores exotiques, créant ainsi une
nbiance paisible et protégée des fortes
aleurs.

Het meest opvallende element van dit
serene en sierlijke huis is het vredige
voorportaal, dat het buitenleven tijdens
de warmste periodes van het jaar
aangenamer maakt. In het interieur
schemert het licht door exotische stores,
die een vredige sfeer scheppen en de
hitte buitenhouden.

Bei der Konstruktion dieses Hauses, das in Halifax vorgefertigt wurde, wurde eine Technik eingesetzt, die von Schiffbauern angewendet wird, bei der die einzelnen Teile industriell hergestellt und später vor Ort zusammengesetzt werden. Mit einer einfachen und organisierten Planung wurde ein schlichtes und elegantes architektonisches Objekt geschaffen.

This house, preconstructed in Halifax, us the same technique as ship manufacture the materials are manufactured elsewher and assembled on site. Organized and simple it creates a sober and elegant arquitectual object.

DANIELSON COTTAGE

Architects: **MacKay-Lyons Sweetapple Architects**

Cape Breton Island, Nova Scotia, Canada
Surface area: **249 m²**

ette maison, préfabriquée à Halifax, a été
nstruite selon la technique de fabrication
rs sol et d'assemblage sur place, utilisée
r les constructeurs de bateaux de la
gion. Grâce à son plan général simple et
ganisé, on obtient un objet architectural
bre et élégant.

Dit huis werd in Halifax geprefabriceerd
en vervolgens ter plekke in elkaar gezet,
net als bij de schepenbouwers uit de
streek. De algemene opzet is eenvoudig
en georganiseerd, waardoor een sober
en sierlijk architectonisch object ontstaat.

Das grazile Gebäude ist von einem typisch schottischen Wald umgeben und liegt an einer kleinen Felsenküste. Die Lage des Grundstücks oberhalb des Strandes ermöglicht eine beeindruckende Sicht auf die Bucht.

A typical Scottish forest, situated at the edge of a small cliff, surrounds this remote structure. The elevation of the land in regards to the bea allows the enjoyment of very impressive views of the bay.

Le bâtiment léger est entouré d'une forêt typiquement écossaise, au bord d'une petite falaise. L'élévation du terrain par rapport à la plage permet de profiter d'impressionnantes vues de la baie.

Dit lichte gebouw is omgeven door bos en ligt aan een kleine klif. De ophoging van het stuk grond ten opzichte van het strand geeft een indrukwekkend zicht op de baai.

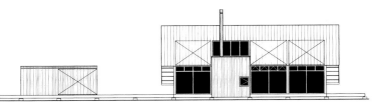

vation I Shows the storage and the main house

Cross section

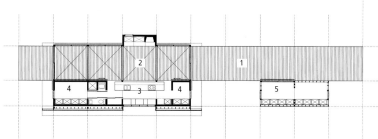

Ground floor

1. Terrace
2. Living room
3. Kitchen
4. Fixtures
5. Storage

0 2 4

Protagonist des Komplexes, der um ein kreuzförmiges Pool herum kreiert wurde, ist das Perspektivenspiel, das von dem Eingang aus wahrzunehmen ist, von dem auch die Verbindung von Innen- und Außenbereich zu einem einzigen perfekt ausgeglichenen Raum betrachtet wird. Die Form des rechteckigen Lofts unterstützt die Dekoration, die auf einer neutralen, eleganten Farbe beruht: Weiß.

The star of this combination that unfolds around a cross-shaped pool is the game with perspectives. It can be perceived from the very entrance, where the fusion of interior and exterior are perfectly balanced. The interior, shaped like a rectangular loft, is decorated in a very neutral and elegant white.

VISUAL DIALOGUE

Architect: **Pachi Firpo**

Santa Barbara, California, USA

e protagoniste de cet ensemble – qui se développe autour d'une piscine en forme de croix – est le jeu de perspectives, visible depuis l'entrée même où l'on peut admirer a fusion entre l'intérieur et l'extérieur dans un unique volume parfaitement équilibré. l'intérieur sous forme de loft rectangulaire accentue la décoration basée sur une couleur neutre et élégante : le blanc.

Wat opvalt in dit geheel - gebouwd rond een kruisvormig zwembad - is het spel van perspectieven, zichtbaar van bij de ingang, waar de fusie tussen interieur en buitenboel zich uit in een perfect afgewogen volume. Het interieur in de vorm van een rechthoekige loft versterkt de decoratie die steunt op een neutrale en elegante kleur: wit.

a das Pool als Verbindung zum Meer in den oden eingelassen ist, entsteht ein Übergang zu en prächtigen Fenstern des Wohnbereichs. Um en Innenbereich zu integrieren, wählte man für e Böden das gleiche Material.

Built at ground level to create a chromatic relation with the ocean, this swimming pool is framed by the magnificent windows of the living room. To integrate the interior, the floors have been paved with the same materials.

onstruite au niveau du sol afin de développer ne relation chromatique avec la mer, la piscine st encadrée par les magnifiques baies vitrées entrales du salon. Pour intégrer l'intérieur, n a recouvert les sols avec le même matériau.

Het huis staat op gelijke hoogte met de zee, waarmee het een kleurendialoog voert. Het zwembad is ingebed in de prachtige middenramen van de zitkamer. Binnenin zijn de vloeren met hetzelfde materiaal belegd.

Diese Konstruktion charakterisiert sich
durch offene Bereiche, die zum Wohlfühlen
geschaffen wurden. Verschiedene Terrassen
integrieren sich in einen indigofarbenen
Bau. So entsteht eine attraktive und
einzigartige Verbindung mit dem
Meereshorizont. Wie die Außenbereiche
sind auch die Innenbereiche voll von
Farbspielen und Kontrasten in Chromatik,
Form und Textur.

This structure is characterized by open
spaces designed for pleasure. Different
terraces are framed by the indigo of the
exterior walls that blend in beautifully v
the blue horizon. The interior is also ful
of visual effects and formal and texture
chromatic contrasts.

WITH THE OCEAN AT ONE'S FEET

rchitects: **Unknown**

a Jolla, California, USA

e bâtiment se caractérise par son espace
vert et conçu pour le plaisir. Plusieurs
rrasses sont encadrées par un volume
x tonalités indigo, qui donne une
duisante et étonnante fusion visuelle
ec l'horizon marin. Comme l'extérieur,
ntérieur est riche de jeux visuels et de
ntrastes de couleurs, de formes et de
xtures.

Dit gebouw valt op door de open ruimte,
die uitnodigt tot genieten. Verschillende
terrassen zijn ingebed in een indigo
gekleurd volume, wat een aantrekkelijke
en bijzondere fusie met de zeehorizon
oplevert. Het interieur loopt, net als de
buitenboel, over van visuele effecten en
kleur-, vorm- en textuurcontrasten.

Die Räume wurden weiß gestrichen, wodurch ein Kontrast zu den Deckenbalken entsteht. Die Harmonie der ungleichen Stile dominiert diese Räume, in denen koloniale und rustikale Möbel miteinander kombiniert werden.

The rooms have been painted in white and contrast with the beams on the ceilings. The harmony of diverse styles is outstanding in these spaces where colonial-style furniture is combined with country-style.

Les pièces ont été peintes en blanc, ce qui contraste avec les poutres du plafond. L'harmonie de plusieurs styles domine ces espaces, où sont associés les meubles de style colonial à d'autres plus champêtres.

De vertrekken werden wit geschilderd, in contrast met de balken aan het plafond. Verschillende stijlen leven in harmonie samen in deze ruimtes, waar koloniaal getinte meubels samengaan met eerder landelijke.

Beim Umbau dieses Ferienhauses entschied man sich dazu, einige der bereits bestehenden Elemente – mit modernem Flair – beizubehalten und neue Elemente – von eher traditionellem Charakter – einzufügen, um eine für die Karibik angemessene Architektur zu schaffen.

In the remodeling of this vacation home some of the existing elements, such as modern lines, were maintained while other crafty new ones, were incorporated to create an arquitectual language appropriate of the Caribbean.

THE ROCK OF LAS HADAS ISLAND

Architect: **Alberto Burckhardt**

Rosario Islands, Colombia
Surface area: **1200 m²**

Lors de l'intervention sur cette maison de vacances, il a été décidé de conserver certains des éléments existants – à la ligne moderne – et d'en incorporer de nouveaux plus artisanaux – afin de créer un langage architectural adapté aux Caraïbes.

Bij de restauratie van dit buitenhuis werden enkele bestaande – moderne – elementen bewaard en nieuwe – eerder ambachtelijke – elementen toegevoegd, waardoor de architectuur de taal van de Caraïben spreekt.

Das aus zwei Modulen bestehende Haus liegt auf einem Eiland mit zwei kleinen Inseln, von denen aus man eine 360 Grad Panoramasicht auf die Karibik hat. Um von ihr zu profitieren, legte man besonderen Wert auf die Fenster.

This house, developed in two units, sits on a rocky island formed by two small keys that allow a 360-degree view of the Caribbean. To take full advantage of the views, the openings of the home were carefully planned.

La maison, se trouve sur un ilot formé par deux petites masses rocheuses ; cela permet une vue panoramique à 360° sur les Caraïbes. Pour profiter de cette vue, on a étudié minutieusement les ouvertures de la maison.

Het huis bestaat uit 2 delen en ligt op een eilandje ontstaan door 2 kleine riffen, met een zicht van 360° op de Caraïben. Om goed van dit uitzicht te kunnen genieten, werden de openingen in de woning zorgvuldig bestudeerd.

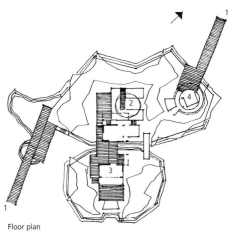

Floor plan

1. Entrance
2. Living room
   Dining room / kitchen
3. Bedrooms
4. Guest house

Die Kombination der kräftigen Farben des Holzes mit dem intensiven Grün der Natur schafft ein nettes, tropisches Ambiente. Man verwendete Macana und Teak, Hölzer der Region, die von hoher Qualität und Haltbarkeit sind.

The combination of strong colors on the wood and the intense green of nature create atmospheres that are cozy and tropical. Local wood like teak and macana are used for their quality and high resistance.

La combinaison des couleurs intenses avec le bois et le vert profond de la nature créent des ambiances accueillantes et tropicales. On utilise le macana et le teck, des bois provenant de cette région qui offrent qualité et résistance.

De combinatie van felle kleuren met het hout en intense groen van de natuur zorgt voor een gezellige en tropische sfeer. Er werd macana- en teakhout gebruikt, afkomstig uit de streek, van uitstekende kwaliteit en zeer sterk.

Der Architekt erhielt zwei grundsätzliche Anweisungen für die Entwicklung dieses Projekts: Das Haus sollte groß und vor allem funktional sein. Dank dieser Freiheit konnte ein Wohnhaus mit sehr aparten Konstruktions- und Dekorationselementen geschaffen werden. Um seinen funktionalen Charakter zu untermalen, wurden natürliche Materialen wie Stein und Holz verwendet.

Basically, there were two requests to the architect for this project: that the house was large and functional. Given this freedom, a home of very original constructive and decorative resources was designed. To reinforce its functional character it was opted to use natural materials such as stone and wood.

SOUTHERN LIGHTHOUSE

Architect: **Diego Montero**

La Rochette, France

L'architecture a reçu deux simples indications pour réaliser ce projet : que la maison soit grande et surtout, fonctionnelle. Cette liberté lui a permis de concevoir une résidence proposant des solutions de construction et décoratives très originales. Pour renforcer son caractère fonctionnel, on a choisi d'utiliser des matériaux naturels comme la pierre et le bois.

Voor dit project kreeg de architect slechts twee basisinstructies: het huis moest groot en vooral functioneel zijn. Dankzij deze vrijheid is de woning ontworpen vanuit een heel origineel bouw- en decoratieconcept. Het functionele karakter wordt benadrukt door het gebruik van natuurlijk materiaal, zoals steen, hout of subtropisch hout.

Das in den Innenbereichen vorherrschende Weiß und die zahlreichen Fenster schaffen ein helles Ambiente, die den Raum größer wirken lassen. Farbelemente bilden hier das Holz und bestimmte dekorative Details.

The dominating white of the interiors, in addition to the numerous windows, fill the space with light and create the sensation of openness. Color is found on the wood and on certain decorative details.

La couleur blanche omniprésente à l'intérieur et les nombreuses fenêtres créent des ambiances baignées de lumière et agrandissent visuellement l'espace. On y trouve la couleur dans le bois et dans certains détails décoratifs.

Wit overheerst in het interieur en zorgt samen met de talrijke ramen voor een feest van licht en een visuele vergroting van de ruimtes. Kleur vinden we terug in het hout en bepaalde decoratieve details.

Wegen der starken Winde, die die Küste umpeitschen, wurde dieser weitläufige Bau in Anlehnung an natürlich geschützte offene Bereiche konzipiert. Hierzu bot die Vegetation der Region die Lösung. Sie umgibt nämlich das Erdegeschoss und schützt es dadurch vor Wind, so dass es zum Beispiel möglich ist, ein beheiztes Swimmingpool tagsüber und nachts zu benutzen.

Due to the strong winds that hit the coast, this ample structure was planted in a succession of protected open spaces. The key to this was the lands flora, which surrounds the lower level and shelters it from the wind allowing for a climate controlled pool that can be enjoyed day or night.

VALLY MARTELLI HOUSE

Architect: **Mario Connío**

Punta Piedras, Punta del Este, Uruguay

Surface area: **1000 m²**

En raison des vents forts qui frappent la côte, ce grand bâtiment est conçu comme une succession d'espaces ouverts protégés. Pour cela, la végétation de la région a été essentielle car elle entoure l'étage inférieur, en l'isolant du vent et en permettant, par exemple, une piscine climatisée dont on peut profiter jour et nuit.

Door de felle kustwind werd dit gebouw opgevat als een opeenvolging van beschermde open ruimtes. De planten rondom de benedenverdieping spelen hierbij een belangrijke rol, want ze beschermen tegen de wind en maken het bijvoorbeeld mogelijk dag en nacht te genieten van het verwarmde zwembad.

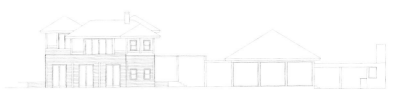

Longitudinal section

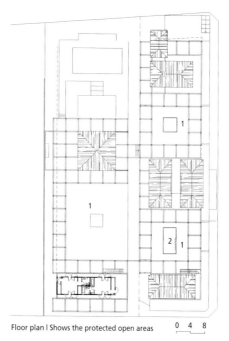

Floor plan | Shows the protected open areas

0 4 8

1. Protected open space
2. Pool

Lokale Handwerker, die besonderen Wert aufs Detail legten, um jedes Teil mit Präzision einzupassen, errichteten dieses ganz aus Holz gefertigte Haus. Das verwendete Material erinnert an die regionaltypische Bauweise.

La maison est construite en bois par des artisans de la région qui soignent le moindre détail pour que tout s'emboite très précisément. L'utilisation de ce matériau la rapproche des constructions typiques de la région.

The house is built out of wood by artisans from the area, who carefully detailed all the pieces to fit with exact precision. The use of this material brings the structure very close to other homes typical of the area.

Het hele huis is in hout gebouwd door ambachtslui uit de streek, die met hun oog voor detail alle stukken perfect in elkaar hebben gepast. Door dit materiaal heeft de woning iets weg van de typische bouwwerken uit de streek.

Die Morphologie des Grundstücks hat die Architektur dieses Hauses deutlich bestimmt. Um es in die unebene Landschaft zu integrieren, wurden zwei Pavillons gebaut, die von Bäumen und Felsen umgeben sind, so dass Licht, Schatten, schöne Aussichten und Intimität geschaffen werden. So können die Bewohner des Hauses die schöne Umgebung nicht nur genießen, sondern sogar in ihr leben.

The morphology of the land clearly determined the architectural aspect of this home. In an effort to integrate it to the abrupt surroundings, two pavilions were added surrounded by trees and rocks, which provide light, shade, views and privacy. This way the residents will not only enjoy the surroundings, but can also explore them.

JAMES ROBERTSON HOUSE

Architects: **Dawson Brown Architecture**

Great Mackeral Beach, New South Wales, Australia
Surface area: **183 m²**

La morphologie du terrain a déterminé clairement la forme architecturale de cette résidence. Afin de l'intégrer dans le milieu abrupt, on a choisi de construire deux pavillons entourés d'arbres et de rochers, offrant lumière, ombre, vues et intimité. Ainsi, les habitants ne profitent pas seulement de l'environnement mais ils s'y aventurent.

De vorm van het stuk grond heeft duidelijk de architectonische structuur van deze woning bepaald. Om ze in de oneffen omgeving te integreren werden twee paviljoens gebouwd, omringd met bomen en rotsen, wat zorgt voor licht, schaduw, zicht en intimiteit. Zo genieten de bewoners niet alleen van de omgeving, maar worden ook uitgenodigd ze te ontdekken.

Die Materialien wurden ausgewählt, um den Dialog mit der Natur fortzuführen: Stahl, der der Struktur Festigkeit verleiht; und Kupfer, das farblich an die typischen Eisenadern der lokalen Steine erinnert.

Materials were selected to blend with the surroundings. The steel of the structure gives it strength and the reddish color of the copper identifies with the iron veins that run through the typical local rocks.

Les matériaux ont été choisis afin de poursuivre le dialogue avec l'environnement : l'acier de la structure qui procure la solidité et le cuivre dont la couleur rougeâtre se confond avec les veines de fer typiques de la pierre locale.

De materialen werden uitgekozen om de dialoog met de omgeving te behouden: staal voor de stevigheid en koper dat doet denken aan de typische ijzeren aderen van de lokale stenen.

1. Entrance from the beach
2. Larder
3. Funicular railway
4. Studio
5. Guest room
6. Master bedroom

Basement

0   4   8

Ground floor

0   4   8

Dieses U-förmige Haus besteht beinahe ganz aus wiederverwertetem und restauriertem Holz anderer Strukturen, was ihm ein überzeugendes Erscheinungsbild und einen starken formalen und strukturellen Ausdruck verleiht. Das lokale Klima lädt zum Leben im Freien ein, weshalb jedes Schlafzimmer über einen eigenen Außenbereich und Sicht aufs Meer verfügt.

This U-shaped house is made almost entirely of recycled or restored wood and this creates an impacting visual image full of formal and structured expressions. The local climate invites for exterior living and every room has a private exterior space with panoramic views of the sea.

MERIMBULA HOUSE

Architects: **Clinton Murray Architects**

Merimbula, Australia
Surface area: **315 m²**

Cette maison, réalisée en forme de U, est presque entièrement construite en bois recyclé et restauré d'autres structures, ce qui lui donne une image forte, d'une grande expressivité formelle et structurelle. Le climat local invite à la vie à l'extérieur ; chaque pièce dispose donc d'un espace extérieur propre avec vues panoramiques sur la mer.

Dit huis in U-vorm is bijna volledig gebouwd met gerecycleerd en gerestaureerd hout van andere gebouwen. Het resultaat is een overtuigende visuele indruk, met expressieve vormen en structuren.
Het lokale klimaat nodigt uit tot het openluchtleven en elke kamer heeft een eigen buitenruimte met zicht op zee.

1. Bedroom
2. Kitchen
3. Dining room
4. Living room
5. Terrace
6. Pool
7. Salon

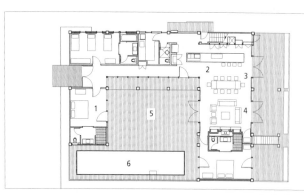

Ground floor

0　1　2

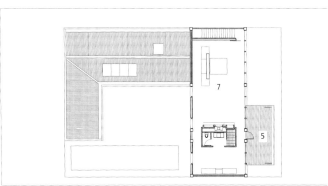

First floor

DIRECTORY